PARIS

DOISNEAU

Cet ouvrage a été conçu par l'Atelier Robert Doisneau.

Responsable éditoriale : Gaëlle Lassée assistée de Pierre-Yann Lallaizon et Aurélie Le Marchand

Conception graphique : Jean-Yves Quierry

Fabrication : Corinne Trovarelli

Photogravure : Les Artisans du Regard, Paris

© Flammarion, Paris, 2014

87 quai Panhard-et-Levassor

75647 Paris Cedex 13

N° d'édition : L.01EBAN000396.N001

ISBN : 978-2-0813-4282-8

Dépôt légal : octobre 2014

www.editions.flammarion.com

© Atelier Robert Doisneau, 2014

PARIS

Flammarion

« Un coup d'œil dans le rétroviseur indique que je n'ai pas été avare de mes pas : d'abord sur le pavé, ensuite sur l'asphalte. Ma déambulation n'était en rien un quadrillage systématique, j'allais le nez en l'air, comptant sur le bon cœur du hasard avec un équipement dont l'indigence était une assurance contre la virtuosité.

Ainsi baguenaudant, j'ai découvert des aspects de la ville qui ne figurent pas sur les guides.

Par exemple, le pavage en forme de cœur devant l'Institut, la ferronnerie du square Rapp, le crucifix sur fond de gazomètres de la rue de l'Évangile, les dessins du curé dans le clocher de l'église de Ménilmontant, les roues de la fortune du pont de Crimée, la boulangerie de la rue du Poitou. Et subsiste pour moi, comme un monument, ce coin de rue où, pour la dernière fois, un ami m'a fait un signe de la main.

PAGE DE GAUCHE / *Autoportrait au Rolleiflex*, 1947

Que le groin des bulldozers s'acharne à éventrer Paris, c'est dans l'ordre des choses : il vient faire la place à des maisons toutes badigeonnées de couleur beige. La beauté doit être éphémère, les villes-musées, comme les vieilles coquettes, ne sont fréquentables qu'en lumière atténuée.

Maintenant il est suffisamment tard, il y a prescription. Je peux bien avouer que les démolisseurs sont mes complices, ces escamoteurs de décors ont droit à ma gratitude, leur vaillance donne de la plus-value à mes vieilles photographies.

Quand aujourd'hui, je vois les conservateurs et les bibliothécaires faire grand cas de ces documents glanés dans des situations répréhensibles, devant les gestes bénisseurs de ces gens qui représentent l'ordre, je sens monter une délicieuse jubilation.

Tout ceci est bien gentil mais il y a toujours, lancinante, la même question qui vient me gâter le plaisir : combien de fois encore verrai-je refleurir les merveilleux marronniers du boulevard Arago ? »

Robert Doisneau

PAGE DE DROITE / *La Gargouille de Notre-Dame*, avril 1969

« Je me souviens de Paris casquettes et chapeaux melons et de Paris révolté, Paris humilié, Paris Travail-Famille-Patrie, Paris bigots-bourgeois, Paris putains mais Paris secret et puis Paris barricades, Paris ivre de joie, et voici Paris bagnoles, Paris combines, Paris jogging... »

Double page précédente / *Place de la Concorde*, 1973

Ci-dessus / *Les Filles au diable*, 1933

Les Frères, rue du Docteur-Lecène, 1934

La Première Maîtresse, 1935

La Sonnette, 1934

Le Retraité de la rue Letellier, 1939

« Tout est factice », 1944

Simone de Beauvoir aux Deux Magots, 1944

PAGE DE GAUCHE / *Lancer de tracts rue Henri-Monnier, IXe arrondissement,* 1944

CI-DESSUS / *Alerte, abri dans le métro,* 1942

CI-DESSUS / *Les FFI de Ménilmontant*, août 1944

PAGE DE DROITE / *Le Repos du FFI*, août 1944

Groupe de soignants, 8 mai 1945

Le Général de Gaulle descend les Champs-Élysées, 26 août 1944

Premier Vote des femmes, 29 avril 1945

Pont d'Iéna, 1945

Les Jardins du Champ-de-Mars, 1944

Les Gosses à roulettes, 1949

La Vitrine, 1947

Les Halles, la pluie, 1945

Marchande des Halles, 1953

L'Innocent, 1949

Un petit endroit discret, 1953

Le Jardinier du quai, 1946

Petite Fille rue Saint-Louis-en-l'Ile, 1947

Le Regard oblique, 1948

Ci-dessus / *La Dame indignée*, 1948

Page de gauche suivante / *Baiser Blotto*, 1950

Page de droite suivante / *L'Enfer*, 1952

Le Baiser de l'Hôtel de Ville, 1950

Mademoiselle Anita, 1951

PAGE DE GAUCHE / *Le Muguet du métro*, 1953

CI-DESSUS / *Georges Simenon*, 1962

L'Amiral dans ses collections, 1950

Henri Héraut et la tombe de la poupée inconnue, 1950

Madame Arthur, cartomancienne, 1955

Fumeur casqué, 1945

Monsieur Rochard, professeur de cor, 1949

Professeur Charles Pêtre, oculariste, 1944

L'Aimable Vendeuse, 1953

Essayage au magasin Printemps, 1953

Le Chien du tabac, XIVe arrondissement, 1953

Vins, tabac, ballons, 1953

La Rotonde de l'Opéra de Paris, 1950

Ci-dessus / *La Pianiste à plume*, 1946

Page suivante / *Les Bouchers mélomanes*, 1953

Ci-dessus / *Be-bop en cave, 1951*

Page de droite / *Au Saint-Yves, 1948*

CI-DESSUS / *Madame Boutilier réalise des bijoux sur maquette*, 1954

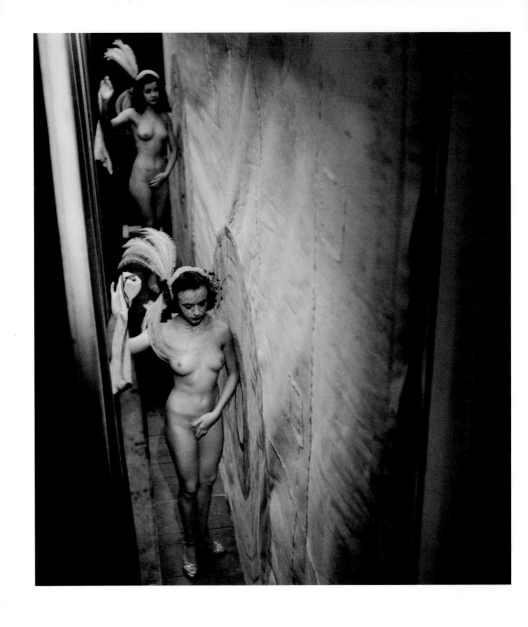

Ci-dessus / *Petite Danseuse nue*, 1952

Page de droite / *Lido*, novembre 1969

Cɪ-ᴅᴇssᴜs / *Sélection pour le Concert Mayol*, 1952

Pᴀɢᴇ ᴅᴇ ᴅʀᴏɪᴛᴇ / *Hommages respectueux*, 1952

Dᴏᴜʙʟᴇ ᴘᴀɢᴇ sᴜɪᴠᴀɴᴛᴇ / *Le Petit Balcon*, 1953

PAGE DE GAUCHE PRÉCÉDENTE / *Pierrette d'Orient*, 1953

PAGE DE DROITE PRÉCÉDENTE / *La Java*, novembre 1951

PAGE DE GAUCHE / *Les Ventres du 14 juillet*, 1955

CI-DESSUS / *14 juillet rue des Canettes*, 1949

« Le monde que j'essayais de montrer était un monde où je me serais senti bien, où les gens seraient aimables, où je trouverais la tendresse que je souhaite recevoir. Mes photos étaient comme une preuve que ce monde peut exister. »

Le Chapiteau du cirque Fanni, 1951

Les Banquistes, place de la Bastille, 1944

Les Animaux supérieurs, 1954

Ci-dessus / *Fête foraine*, 1955

Double page suivante / *Les Autos tamponneuses*, 1953

La Marchande de nougat, 1950

PAGE DE DROITE / *Train fantôme*, 1953

Trépidante Wanda, 1953

Créatures de rêves, 1952

PAGE DE GAUCHE PRÉCÉDENTE / *Vénus prise à la gorge, 1964*

PAGE DE DROITE PRÉCÉDENTE / *Les Hélicoptères, jardin des Tuileries, 1972*

PAGE DE GAUCHE / *La Cour des artisans*, 1953

Ci-dessus / *Alberto Giacometti dans son atelier*, 1957

C<small>I-DESSUS</small> / *Les Enfants de la place Hébert*, 1957

P<small>AGE DE DROITE</small> / *La Monnaie des commissions*, 1953

DOUBLE PAGE PRÉCÉDENTE / *Les Beaux Jeudis*, 1957

CI-DESSUS / *L'Information scolaire*, 1956

PAGE DE DROITE / *La Dent*, 1956

[96]

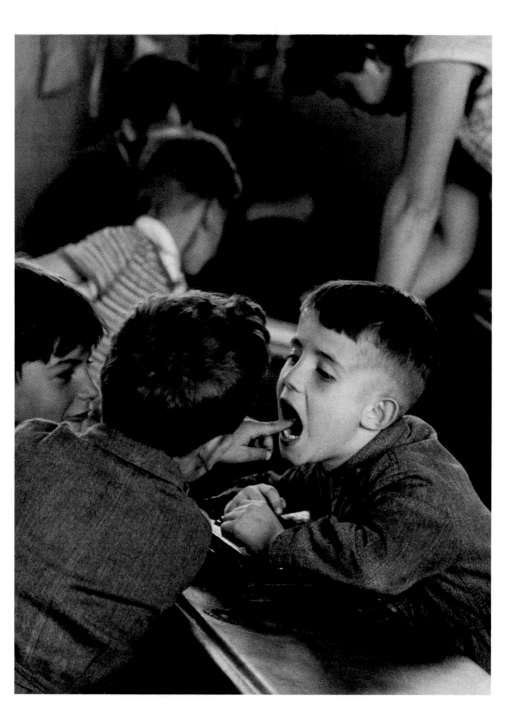

Ci-dessus / *Le Cadran scolaire*, 1956

Page de droite / *Le Réverbère de la rue Vilin*, 1969

Sèvres et Babylone, 1953

Les Saint-Cyriens, juin 1950

Les Chats de Bercy, octobre 1974

Jardin du Luxembourg, 1951

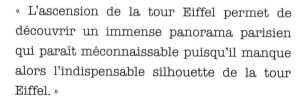

« L'ascension de la tour Eiffel permet de
découvrir un immense panorama parisien
qui paraît méconnaissable puisqu'il manque
alors l'indispensable silhouette de la tour
Eiffel. »

*Montage réalisé par Robert Doisneau
à l'occasion de l'exposition du musée des Arts décoratifs*, Paris, 1965

Jardin des Tuileries, avril 1959

La Veste noire sous le soleil, 1950

Distorsion optique, 1965

Photographie triomphale, 1947

PAGES PRÉCÉDENTES / *Place Vendôme la nuit*, 1949 / *Le Photographe de la Concorde*, 1964

CI-DESSUS / *Christian Dior et ses catherinettes*, 1950

PAGE DE DROITE / *Yves Saint Laurent et Zizi Jeanmaire, essayage du costume de Carmen*, 1959

La Cabine de Lanvin, octobre 1958

Essayage chez Givenchy, septembre 1955

Mademoiselle d'Origny devient vicomtesse d'Harcourt, 1952

Le Grand Mariage, 1949

Les Potins d'Elsa Maxwell, 1952

Le temps qui passe, 1950

Vernissage à la galerie Charpentier, 1949

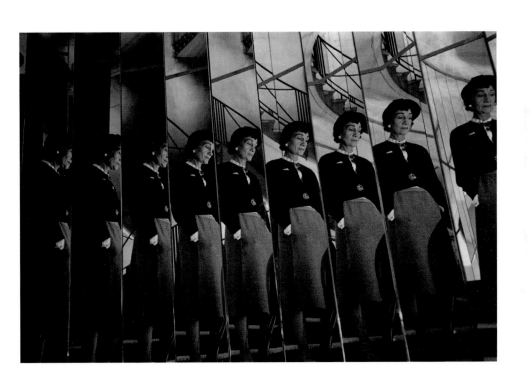

Coco Chanel au miroir, 1953

Ci-dessus / *Maurice Duval, peintre chiffonnier, 5 rue Visconti,* 1948

Page de droite / *Picasso retouche* Vogue, 1952

La Famille du blanchisseur, 1949

« Le peuple de Paris, en se frottant au mobilier urbain, a donné à la ville cette patine que l'on peut aimer. Ainsi moi-même, par mes passages répétés, j'ai tellement participé à l'astiquage des bibelots de la rue que j'éprouve pour la première fois de ma vie un vague sentiment de propriété. Je veux néanmoins me situer dans l'espèce peu commune des propriétaires libéraux en vous laissant ma porte largement ouverte. »

La Partie de 421, 1950

L'Ancien Combattant, café de l'Ourcq, 1953

Luis Buñuel, 1955

Café curieux, rue Saint Merri, 1953

Bistrot cloisonné, 1950

Ci-dessus / *Le Mimosa, rue Maître-Albert*, Vᵉ arrondissement, 1952

Page de droite / *Coco*, 1952

C<small>I-DESSUS</small> / *Jeux de société, rue Lacépède*, 1954

P<small>AGE DE DROITE</small> / *Consommateur aux jambes croisées*, février 1953

Monsieur Constant, rue de Seine, 1951

Georges et Riton, 1952

Le Couple de la Rapée, 1951

Madame Titine campe sur le quai de l'Arsenal, 1950

Café Pradal, rue de la Tombe-Issoire, XIVᵉ arrondissement, 1964

L'Escalier, 1952

Marguerite Duras au Petit Saint-Benoît, 1955

Jacques Prévert au guéridon, 1955

Cɪ-ᴅᴇꜱꜱᴜꜱ / *Monsieur Legaret inaugure « La Seine »*, 1964

Pᴀɢᴇ ᴅᴇ ᴅʀᴏɪᴛᴇ / *Quai d'Orléans*, septembre 1967

Fox-terrier au pont des Arts, 1953

Canal Saint-Martin, juin 1953

Pastel pitoyable, 1968

Ci-dessus / *Pêcheur à la mouche sèche*, 1951

Double page suivante / *La Diagonale des marches*, 1953

Canal de l'Ourcq, 1957

Le Remorqueur, 1944

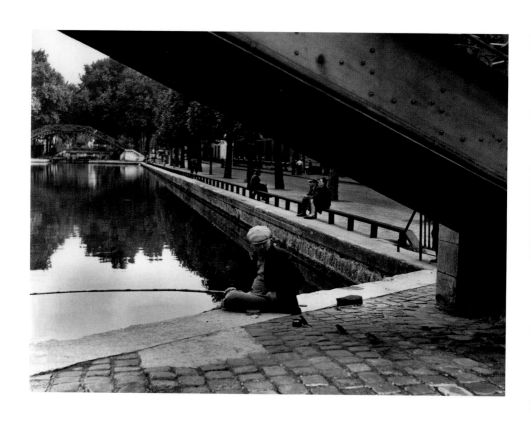

Cɪ-ᴅᴇssus / *Les Moineaux du canal*, 1951

Pᴀɢᴇ ᴅᴇ ᴅʀᴏɪᴛᴇ / *Pont de la Tournelle*, 1951

«Les photographies ne sont jamais des témoignages objectifs. Avec le temps, elles se chargent du pouvoir évocateur des petites fleurs séchées que l'on retrouve entre les pages d'un livre.

[...] Je crois dur comme fer qu'il n'y a pas de vérité-étalon, mais que le profil de cette vérité peut être modifié à l'infini si l'on ose quitter les postes d'observation confortables. »

Boules de neige au pont des Arts, 1945

Les Chevaux de glace, fontaine de l'Observatoire, 1983

C<small>I-DESSUS</small> / *Bouquiniste frigorifiée*, 1951

P<small>AGE DE DROITE</small> / *Le Centaure*, 1971

PAGE DE DROITE / *La Meute*, 1969

DOUBLE PAGE SUIVANTE / *Sabine Azéma chez Christian Lacroix*, 1990

PAGE DE GAUCHE / *Baisers casqués*, 1966

CI-DESSUS / *Les Tabliers de la rue de Rivoli*, 1978

Cɪ-ᴅᴇssᴜs / *Trois Petits Enfants blancs*, parc Monceau, 1971

Pᴀɢᴇ ᴅᴇ ᴅʀᴏɪᴛᴇ / *Pluie d'été au Carrousel*, 1981

« Le charme des villes, enfin nous y voici, est comme celui des fleurs, il tient en partie au temps que l'on voit glisser sur elles. Le charme a besoin de l'éphémère. Il n'y a rien de plus indigeste qu'une ville-musée consolidée par des prothèses de béton.

Paris ne court pas le risque de devenir une ville-musée, le dynamisme et l'avidité des promoteurs en sont la plus sûre garantie. Leur frénésie à tout démolir est moins répréhensible que leur maladresse à construire des ensembles mal fichus ne fonctionnant qu'avec l'intervention permanente d'une police musclée.

[...] Toutes ces agences bancaires, tous ces immeubles en verre, toutes ces façades en miroir sont la marque d'une architecture du reflet. On ne voit plus ce qui se passe chez les autres et on a peur de l'ombre. La ville devient abstraite. Elle ne reflète plus qu'elle-même. Les gens font presque désordre dans ces perspectives. Avant la guerre, il y avait partout des recoins.

PAGE DE DAUCHE / *Façades parisiennes* (montage), 1973

À présent on essaie de chasser l'ombre, on aligne les chaussées, on n'a plus le droit d'installer une remise sans autorisation personnelle du ministre de la Culture.

Chez moi, mon grand-père avait bâti un petit immeuble. À côté le patronage avait ses appentis, plus loin l'entrepreneur de peinture conservait du matériel sous des bâches. Chacun ajoutait son truc. C'était télescopique. Comme un jeu. La vie n'était pas ruineuse. Les gens modestes pouvaient vivre et travailler à Paris. On voyait des maçons en bleu, des peintres en blanc, des charpentiers en velours... Maintenant, regardez le faubourg Saint-Antoine : les artisans refluent devant les agences de pub et les galeries de design. Le terrain est si cher que seules d'énormes entreprises peuvent construire et, pour rentabiliser, elles bâtissent « énorme ». Des cubes, des carrés, des rectangles. Tout tombe droit. Le désordre est banni. Un peu de bordel c'est bien, pourtant ! C'est là que se niche la poésie. On n'avait pas besoin que les promoteurs nous offrent, dans leur magnanimité, des espaces ludiques. On les inventait. Aujourd'hui plus question de bricoler, la commission d'urbanisme débarque. Toute spontanéité est bannie. La vie fait peur. »

Cɪ-ᴅᴇssᴜs / *Maurice Baquet porte de Vanves*, 1982

Pᴀɢᴇs sᴜɪᴠᴀɴᴛᴇs / *Anarchitecture*, 1966 / *Le Nouveau XVᵉ,* 1978

ROBERT DOISNEAU
BIOGRAPHIE

14 avril 1912 : Naissance à Gentilly (Val-de-Marne).

1925-1929 : Études à l'École Estienne.

Obtient un diplôme de graveur lithographe.

1931 : Opérateur d'André Vigneau.

1932 : Vente du premier reportage au quotidien *L'Excelsior*.

1934-1939 : Photographe industriel aux usines Renault à Billancourt.

Licencié pour retards répétés. Rencontre Charles Rado,

créateur de l'agence Rapho.

Devient photographe illustrateur indépendant.

1945: Début de la collaboration avec Pierre Betz,

éditeur de la revue *Le Point*.

Rencontre Blaise Cendrars à Aix-en-Provence.

1946 : Retour à l'agence Rapho dirigée par Raymond Grosset.

Cette collaboration durera près de cinquante ans.

Reportages pour l'hebdomadaire *Action*. Voyage en Yougoslavie

pour le magazine *Regards*.

1947 : Rencontre Jacques Prévert et Robert Giraud. Prix Kodak.

1949 : *Banlieue de Paris*, Ed. Pierre Seghers, texte de Blaise Cendrars.

1949-1951 : Contrat avec le journal *Vogue*.

1951 : Exposition « Five French Photographers's »

avec Henri Cartier-Bresson, Brassaï, Willy Ronis et Izis

au musée d'Art moderne de New York.

1956 : Prix Niépce.

1960 : Voyage aux États-Unis, reportages à Hollywood et à Palm Springs.

1967 : Reportage en URSS.

1968 : Première exposition monographique en France
à la Bibliothèque nationale de Paris.

1971 : Tour de France des musées régionaux avec Jacques Dubois.

1972 : Exposition au Centre George Eastman, Rochester Museum,
États-Unis.
Exposition à Moscou avec Henri Cartier-Bresson, Édouard Boubat,
Izis, Brassaï, Willy Ronis.

1973 : *Le Paris de Robert Doisneau*, film de François Porcile
(Télé Europe Production).

1975 : Invité des Rencontres d'Arles.

1979 : Exposition « Paris, les Passants qui passent »,
musée d'Art moderne de Paris.

1981 : *Robert Doisneau badaud de Paris, pêcheur d'images*,
film de François Porcile (Télé Europe Production).

1983 : Grand Prix national de la Photographie.
Exposition au palais des Beaux-Arts de Pékin.

1984 : Participe à la Mission photographique de la Datar.

1987 : Exposition au musée Kahitsukan de Kyoto.

1988 : Exposition Hommage à la villa Médicis à Rome.

1990 : Film *Contacts* (CNP/La Sept/Riff Production).

1992 : Exposition rétrospective au MOMA d'Oxford,
sous la direction de Peter Hamilton.
Bonjour, Monsieur Doisneau, film de Sabine Azéma (RIFF Production).

1993 : *Doisneau des Villes et Doisneau des Champs*,
film de Patrick Cazals (FR3 Limousin-Poitou-Charente).

1994 : Meurt à Paris le 1er avril.

Achevé d'imprimer en août 2014 par Tien Wah Press, Singapour.